雪女の家
おけら山
おおかみ男の家
ひりひり滝
ぬるぬる池
かたかた橋
にこにこ
ぷんぷん
めそめそ
の花畑
ぞくぞく劇場
美術館
ぞくぞく小学校

ぞくぞく村の

魔女のオバタンの使い魔

末吉暁子・作　垂石眞子・絵

ぞくぞく村の北のはずれ。ぐずぐず谷の一けん家。……と言えば、魔女のオバタンの家。

そのオバタンに弟子入りして、おてつだいをしたり、使い走りをしたりしているのが、四ひきの使い魔です。

ヨルなのに アサー
オバタンのうち

ぶとっと太ったねこのアカトラ。
方向おんちのこうもりのバッサリ。

しょっちゅう、
しっぽがちぎれている
とかげのペロリ。

のろまの
ひきがえるの
イボイボ。

どの子も、早くオバタンのように、魔法が使えるように
なりたくて、がんばって修行しています。
でも、道は遠く、けわしそう。

ある日。
四ひきの使い魔たちが庭そうじをしていると、
とつぜん、パラパラパラパラッと、にわか雨。
見あげると、いたずら者の雨ぼうずの
ピッチャンが、雲のオープンカーに乗って
走り去るところでした。
雨は、すぐにふりやんで、その直後、
ひらひらひら、ひらっと、空から四まいの
紙が落ちてきました。

「なんだろニャ。あっ、ねこのアカトラさまって書いてある。」
「あれ？　こっちは、こうもりのバッサリさまあてだバサ。」
「うひょ！　とかげのペロリさまだって。やった！　ペロ。」
「ひきがえるのイボイボさまだと。えらいこっちゃ。ブオイ！」

なんと、四まいの紙は、四ひきの使い魔たちにあてた手紙だったのです。

四ひきとも、自分あての手紙なんかもらったことがありませんから、大かんげき。

さっそく、ふうを開けてみました。

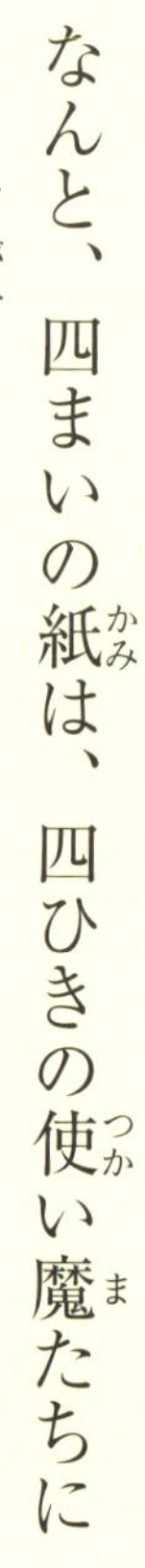

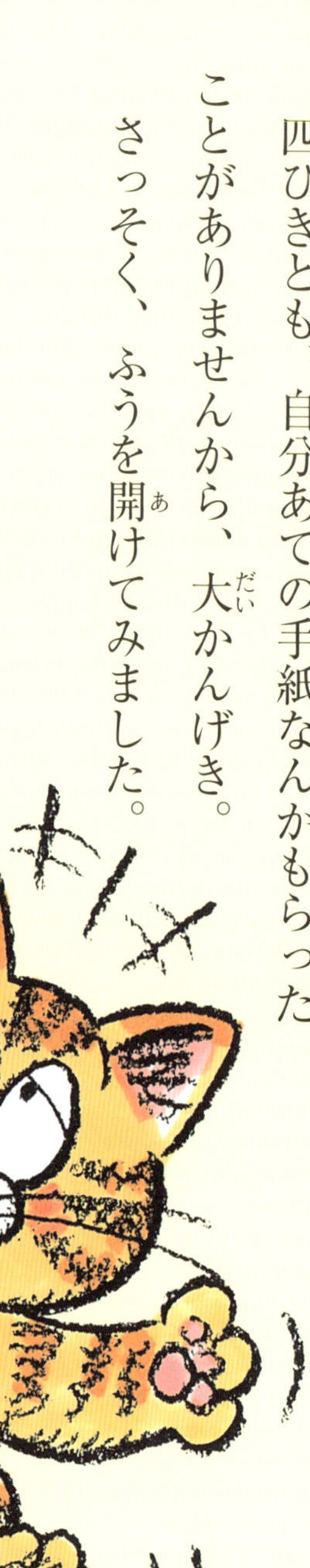

招待状
こんどの満月、うちの七つ子の赤ちゃんが
そろって、満一才のおたんじょう日を
むかえます。
つきましては、みなさまにお集まりいただき
おたんじょうパーティーを開きます。
ぜひ、来てチョ。
ごちそうはたいしてありませんが、
プレゼントは大いにかんげいします。
そこんとこ、よろしく！
小鬼のゴブリンより

四ひきはうれしさのあまり、しばらくはものも言えずに、ボーッとまいあがっていましたが、ようやく、地面に足をつけて言いました。

「ぼく、なに着て行こうか、ニャ。」

「ネクタイ、しめて行かなきゃ、だめだバサ。」

「プ、プレゼント、
なにしよう。ペロ。」

「七つ子だから、たいへんだ。
えらいこっちゃ。ブオイ。」

みんなで相談をはじめようとしたときです。

「ガバッ！　もう夜か。ウエイ、ねむい……。むにゃむにゃ……。やっぱ、もうちょっとねよう……。ドタッ！」

家の中から、そんな声が聞こえてきました。

「あっ、オバタンがおきたんだニャ。」

「そんでもって、またねたんだバサ。」

「ブオイ。ねおきが悪い……。」

「ペロ。招待状、見せれば、ぱっちり目が開くよ。」

それから、四ひきは、はっとして固まりました。

顔見合わせて、同時に、

「オバタンの招待状は？」

あわてて、あちこちさがしてみました。

「ひょっとして、どこか遠くに飛ばされてしまったのかもしれないもんニャ。」

庭にすててあった、おばけかぼちゃのあきかんの中も全部たしかめ、屋根の上や、えんとつの中までも見たのですが、ありません。

「ブオイ。オバタンには招待状、来なかったんだ。えらいこっちゃ。」

「そんなはずは、ニャい。」

「オバタンには、もう先に来てるんだバサ。」

「ペロ。そ、そ、そうにきまってる。」

とは言ったものの、四ひきは、オバタンがおこったときの顔を想像して、ゾ～ッとなりました。

そのときです。
バーン

ドアがバーン！　と開いて、パジャマすがたのオバタンが顔を出したので、四ひきは、ひえ～いと飛びあがり、そのひょうしに、手にした手紙が、ひらひらひらと、オバタンの目の前にまい落ちました。

「なんじゃ、これは？」

オバタンが、パチンと指を鳴らすと、四通の手紙はすいつくようにオバタンの手もとに集まりました。

「あっ、そ、それは！」

大あわてのアカトラたちの前で、オバタンは手紙を読みました。

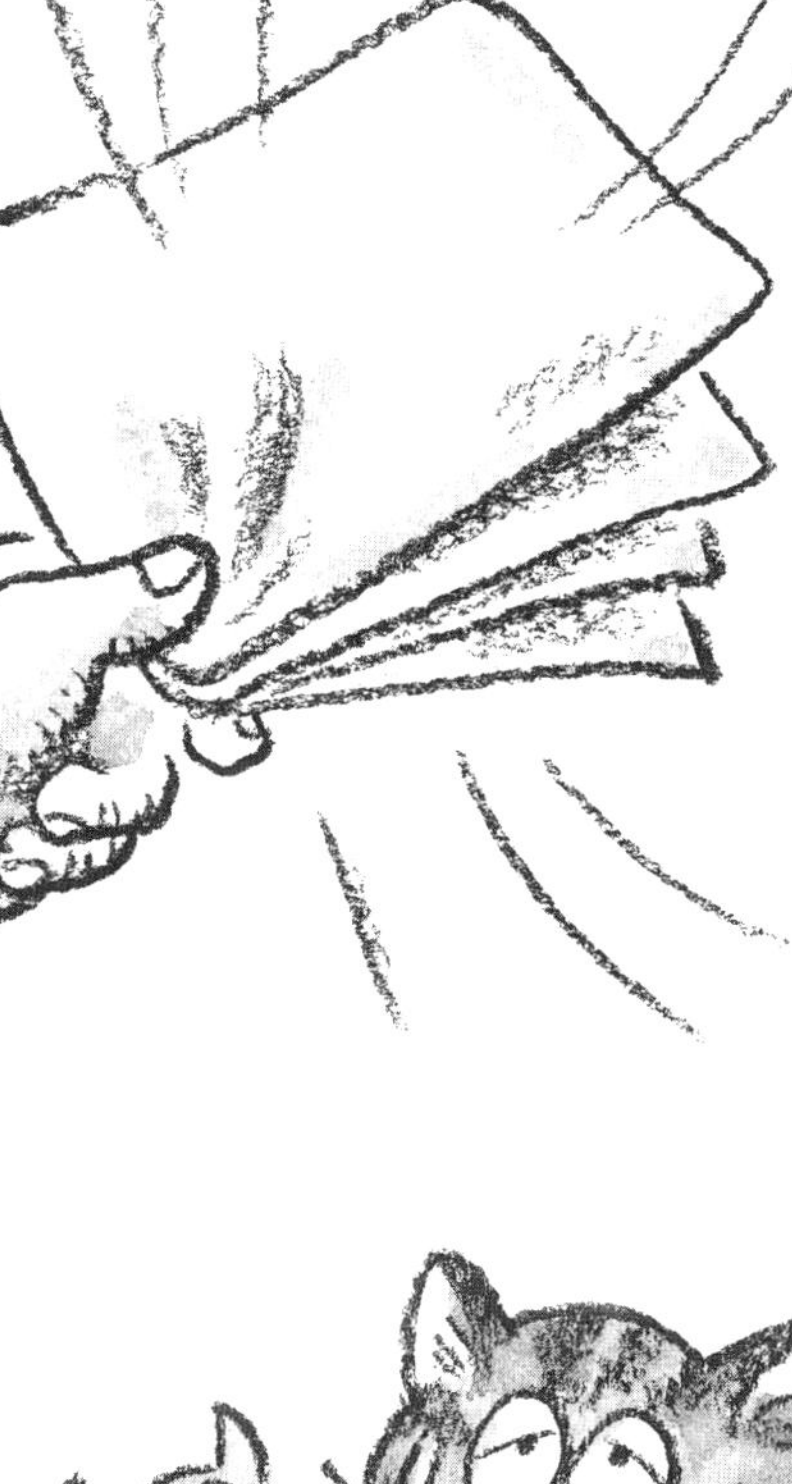

ほう
あのゴブリンが
みんなを集めて
七つ子のたんじょうパーティーを
やるってか
やっぱ
親ばかだね

なに？
たいしたごちそうは
出ないのに、プレゼントは
かんげいだって？ ケチの
ゴブリンらしいよ

ほんで
あたしあての
招待状は？
ドッキーン

ジジ。。〜ン

やっぱ
オバタンのところへは
来てなかったんだ！
えらいこっちゃ
ブオイ
ブチブチブチッ

そうかい、そうかい。
あたしんことは、
呼んでもくれないって
わけかい。
ムムム。
魔女をナメたら、
あかんで。
どうしてくれよう、
ゴブリンめ。

ズゴゴゴゴ

バターン!
た、たいへんだ
どうしよう
ブチブチグチグチ
イジイジグズグズ
ブーブーブータラ
ガミガミ…

ドッカン

あっ オバタン どこへ行くんだろうニャ

こわい顔してた、ペロ

ゴブリンさんとこにどなりこみに行ったんだ！ えらいこっちゃブオイ

だれか追いかけていってひきとめるだバサ

……

空を飛べるの
あんたしかいない
あっ あっ
うえ～～ん！
言うんじゃなかった
がんばってニャ
ペロ
ブオイ

バッサリが飛んでいくのと入れちがいに、ぐずぐず谷の上空にボワーンと飛んできて、ザ、ザーッとブレーキをかけたのは、雨ぼうずピッチャンの雲のオープンカー。

パラパラ、パラッと雨つぶといっしょに、一通の手紙がひらひらと落ちてきました。

「おそくなって、ごめん。ピヤ！　ぼく、むずかしい漢字、読めないもんだから、ガチャさんに読んでもらって、やっと持ってきたんだよ。じゃね。ピヤピヤピヤ！」

ピッチャンは、それだけ言うと、また、オープンカーを急発進させて、行ってしまいました。

あわてて、アカトラがひろいあげてみると、ふうとうのあて名は、雨のしぶきでにじんで、「魔女の」という字しか読めません。

さしだし人は、小鬼のゴブリンです。

「アニャー！　やっぱり、オバタンにも招待状、来てたんだ！」

「そ、そうだと思った！　ペロ。」

「ブオイ。おそすぎた。えらいこっちゃ！」

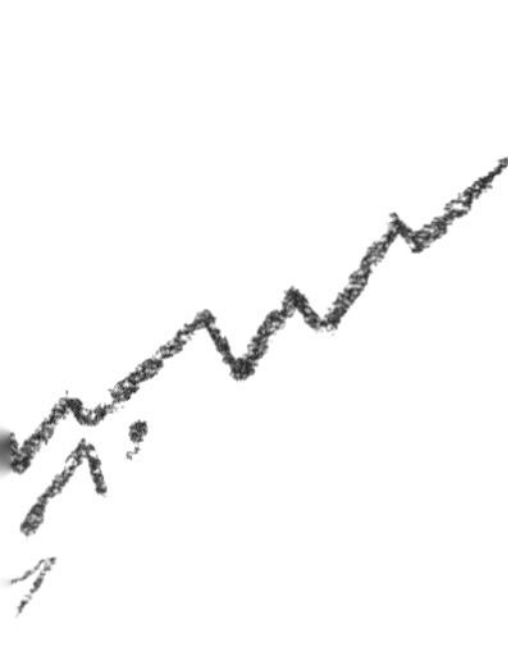

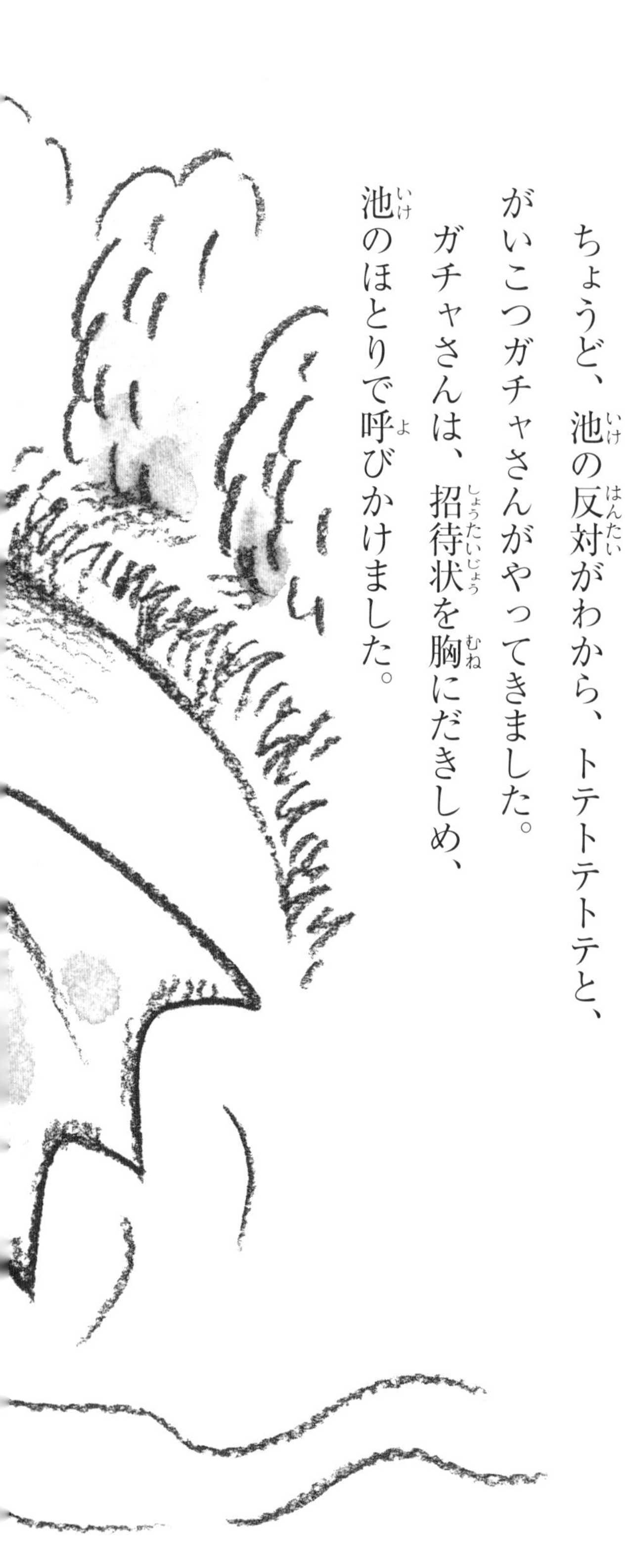

さて、方向(ほうこう)おんちのバッサリは、まっすぐゴブリンの家(いえ)をめざしたつもりが、かなりずれて、やってきたのは、ぬるぬる池(いけ)のほとり。
「あちゃ。ちょっと方向(ほうこう)が、ちがったバサ。」
ちょうど、池(いけ)の反対(はんたい)がわから、トテトテトテと、がいこつガチャさんがやってきました。
ガチャさんは、招待状(しょうたいじょう)を胸(むね)にだきしめ、池(いけ)のほとりで呼(よ)びかけました。

「レロレロさんたら、レロレロさん。七つ子の赤ちゃんのおたんじょうパーティーには、だれといっしょに行くんですか？」

すると、池のまん中から、パシャッと水音をさせて、レロレロが顔を出し、

「あたし？　一人で行くつもりよ。」

と答えました。

それを聞いたとたん、ガチャさんのあばら骨は、バクンバクンふるえました。

「そ、そ、それじゃ、ぼ、ぼ、ぼく、ごいっしょしてもいいですか？」

レロレロが、「いいわよ。」と答えるよりいっしゅん早く、どこからか、

「なに、言ってるのよ。ガチャさんは、あたしといっしょに行くの！」
そんな声が聞こえてきて、地面からのびてきた黒い手が、
ガッチリと、ガチャさんの足首をつかみました。

「うわ、ゾンビのビショビショだ！　きみのところにも、招待状、来てたのか。」

「モチよ。ちゃんとおふろに入って、おしゃれして行くから安心してちょうだいな。」

ビショビショに足をひっぱられて、ズブズブズブと地面にひきずりこまれていくガチャさんに、

「かってにすれば？」

レロレロはつめたく言って、池の中にしずんでいきました。

「ああ、レロレロさん！　せめて、ラストダンスは、ぼくとおどるって、やくそくして！」

ガチャさんの声だけが、むなしく池の水面にひびきました。

バッサリは、やっと、小鬼のゴブリンの家にたどりつきましたが、
変わったようすはありません。

「あれ？　オバタン、ここへは来てないだバサ。」

べろべろの木の根もとの、ゴブリンの家の中からは、こんな声が聞こえます。

「あなた。招待状は、ちゃんとみなさんにくばってくださった?」

「バッチ、グーよ。雨ぼうずのピッチャンにやらせたよ。雨ぼうずには、こないだ、赤んぼうのおしめを水びたしにされたから、ちょうどいいばつゲームになったぞ。」

「そう。よかったわ。ところで、赤ちゃんたちは、どうしたかしら。」

「まだ、外で遊んでるんだろ?」

「なんだかずいぶんしずかね。ちょっと気になるわ。」

「そういえば、そうだね。なき声一つしないぞ。ちょっと見てくる!」

聞いていたバッサリも、つい、あたりを見まわしましたが、べろべろの木のまわりにも、おばけかぼちゃのそばにも、赤ちゃんのすがたはありません。

すぐにドアが開いて、ゴブリンとおかみさんが出てきました。

「あなた！　どこにもいないわよ。」

「たいへんだ！　よくさがせ！」

「ま、まさか、ゆうかいされたんじゃ！」

それを聞いたバッサリの胸は、ズッキーン！

「ま、まさか、オバタンが……。ゆうかいしたんじゃ、ないだバサ。」

バッサリは、不吉な予感で、胸がはりさけそうになりながら、ぐずぐず谷に飛んで帰りました。

でも、あいにく、方向おんちですから、どっきり広場の上空を、二、三度、ぐるぐるまわってから、ようやく、ぐずぐず谷をめざしたのでした。

さて、そのころ、オバタンの家の裏庭には、ひゅ～、ふらふらっと、大なべが飛んできて、ドッコラセ！　と着陸しました。

アカトラと、ペロリと、イボイボは、オバタンあての手紙を持って、飛びだしていきました。

「オバタン！　オバタン！　オバタンにも招待状、来てたんニャ。」

「そ、そ、そう！　オバタンに来ないはずはないペロ！」

「オバタンを呼ばなかったら、えらいこっちゃ。ブオイ。」

「なんだって？」

大きなふくろをかついで、大なべからおりたったオバタンは、招待状を見ると、

「ありゃあ！」

とさけんで、固まり、ふくろをとり落としました。
とたんに、ふくろの口が開いて、中から、ぴょんぴょんと、飛びだしたのは……、

七ひきの子やぎ！

子やぎたちは、たちまち、あっちこっち、かってな方に飛びはねていきます。

「うわあ、たいへんだあ！　子やぎをつかまえるんだ！」

なんだか知らないけれど、オバタンがあわててさけぶので、アカトラたちも、あわてて子やぎを追いかけました。

一ぴきは、ねずみ花火(はなび)みたいにかけずりまわっていて、
どうやってもつかまりそうにありません。

二ひきめは、
どこへかくれたのか、
あっというまに、
見(み)えなくなりました。

三びきめは、
ペロリのしっぽを
くいちぎって
しまいました。

四ひきめは、追いかけてきた
アカトラに、ズンと頭つき。
「ウニャア！　いたあい！」

なんとまあ、四ひきめの子やぎの
毛は、くりのいがみたいにかたくて、
ツンツンしているのです。

ようやく五ひきめの子やぎをつかまえた
イボイボは、だきあげようと
したとたん、コテン！
あんまり重いので、
しりもちをついてしまいました。

六ぴきめの子やぎは、オバタンの
スカートのすそにくいついてひっぱります。
「まあ、やだよ、この子は。あたしの
スカートをぬがせるつもりだよ。」

七ひきめの子やぎだけは、
どこで取ってきたのか、
いつのまにか、にこにこの
花をくわえて、おとなしく
おすわりしています。

そこへ、バッサリが、バサバサ、飛んで帰ってきて言いました。

「た、たいへんだバサ。ゴブリンさんとこの七つ子の赤ちゃんがゆうかいされたバサ。」

それを聞いて、ようやくアカトラたちも気がつきました。

「こ、この子やぎたちは、ゴブリンさんとこの七つ子だニャ！」

「じゃ、オ、オバタンが、あの七つ子を子やぎに変身させたんだ！すごい！　ペロ！」

「感心してるばあいじゃない。えらいこっちゃ。ブオイ。」

「そうなんだよ。あたしんとこへは、招待状、くれないと思ったからさ。ちょっと、ゴブリンのやつをあわてさせてやろうと思ってさ。」

そう言(い)ってから、オバタンは、へなへなとすわりこみました。

「ど、どうしよう。」

「でも、魔女のオバタンのことだもの。
すぐに、もとにもどせるニャ。」

「オバタンなら、
やってできないことはないだバサ！」

「そ、そ、そう。オバタンは、
いだいな魔女だもの。ペロ。」

「ちょっと、おっちょこちょいなだけ。えらいこっちゃ。
ブオイ！」

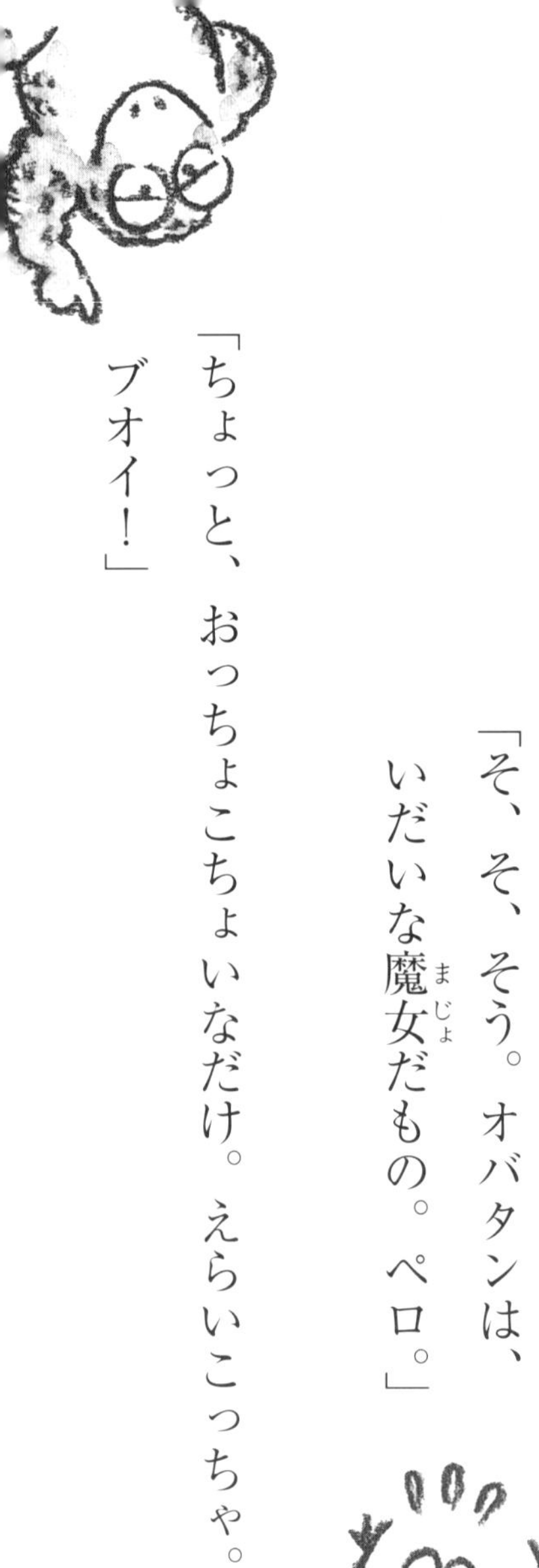

せっかく立ちなおりかけていたオバタンは、
イボイボが、そう言ったとたん、
また、へなへなとすわりこみました。
「あたしゃ、なんて、
おっちょこちょいなんだろ。
満月の光をあびるまでは、
ぜったい、もとにもどらないように、
強力なまじないをかけちまったんだよ。」
「え、え、えーっ？」
四ひきの使い魔も、へなへなへなと、
こしをぬかしました。

「あーあ、ゴブリンさんに合わせる顔がない。ねちゃお、ねちゃお。
おまえたち、この子たちの世話をしといておくれ。」
そう言って、さっさと家の中にひっこんで、ふとんをかぶって、
ねこんでしまいました。

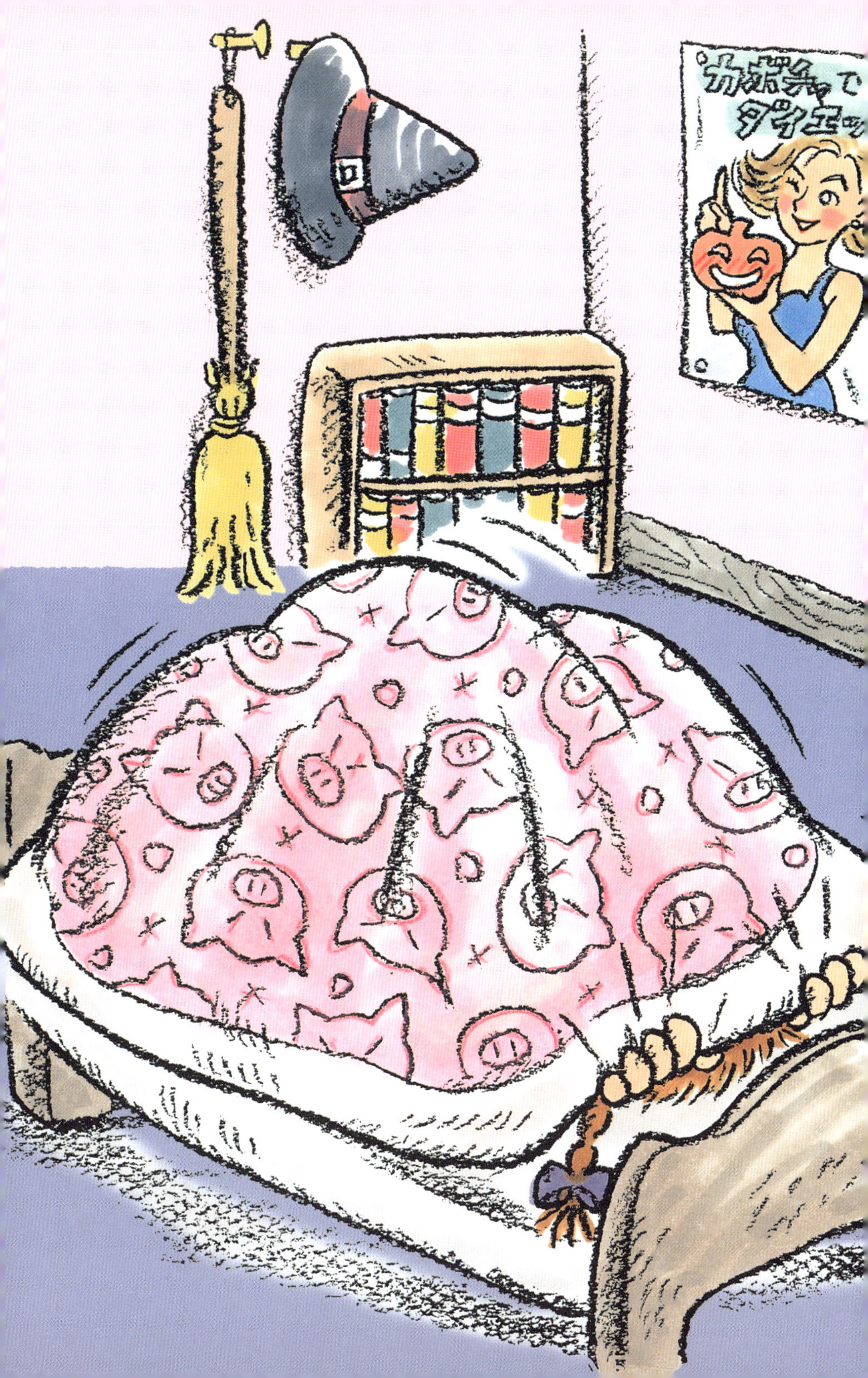
カボチャで
ダイエッ

そのときです。

ぐずぐず谷の上から、ごろんごろん、ごろんごろんと、ころがり落ちてきたのは、ゴブリンのおやじでした。

「た、たいへんだ！　うちの七つ子たちが、ゆくえふめいだ！　魔女のオバタンに、ゆくえをうらなってもらいたいんだよ。」

「あ、あはは。あのう、今、オバタン、ねこんでいるんニャ。」

アカトラが飛びだしていって、言いました。

「そりゃ、こまったぞ。いったい、うちのかわいい七つ子たちはどこへ行ったんだろう。満月までに見つからなかったら、おたんじょう会も中止だぞ。」

「おたんじょう会が中止になったら、ごちそうも食べられないペロ。」
「えらいこっちゃ。ブオイ。じつは、
この子やぎたちは……」
と、言いかけたイボイボの口を、
アカトラは、あわててふさいで
言いました。
「だいじょぶ。赤ちゃんたちは、
きっと近くに元気でいる。ニャ。」

ベーベー
バーバー
メー
メーメー

子やぎたちは、ゴブリンさんに気がつくと、そばによってきて、さかんに、鳴きたてました。

「しっしっ。あっち、行け。やぎなんぞにかまっているひま、ないんだ。じゃあ、ほかをさがしてみるよ。また来る。」

ゴブリンさんは、追いすがる子やぎたちを、ふりはらい、ふりはらい、あたふた、帰っていきました。

「ゴブリンさーん。おたんじょう会は、中止にしないでちょうだい、ペロ。」

「赤ちゃんたちは、きっと、ぼくたちが見つけてあげますニャ。」

「だから、たくさん、ごちそう用意しといてほしいだバサ。」

ゴブリンの背中にむかって、そうは言ったものの、
四ひきは頭をかかえました。

「えらいこっちゃ。
ブオイ。」

「とにかく、七つ子たちの
お世話をしなくちゃニャ。」

「ほらほら。ミルク、あげる。
こっち、おいで。ペロ。」

ペロリが、せんめんきにミルクを入れて持ってくると、くいしんぼうのパクリン子やぎが、まっさきによってきました。

「きっと、おなかがすいていたんだ。
かわいい。ペロ。」

「ピチャピチャ、ピチャ！　ペロリ、ズズー！」

パクリンは、たちまち、
ミルクを飲みほしました。

「わあ、たいへんだ。ミルクがたりない、ペロ！」

ペロリは台所へ飛んでいきました。

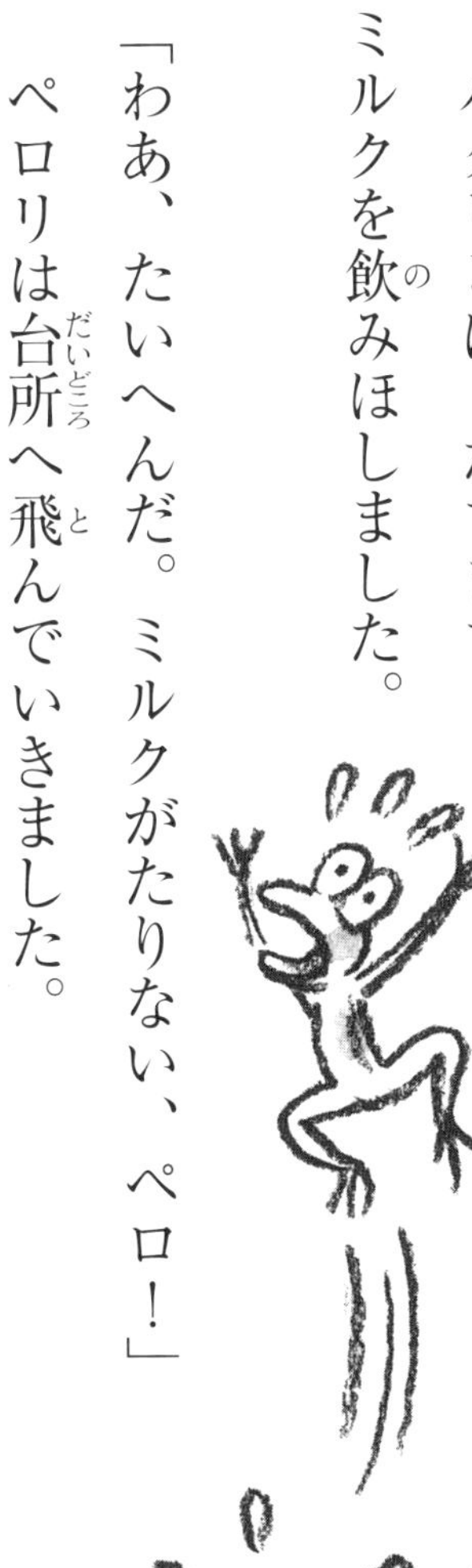

こうもりのバッサリは、どこかへ行ってしまった二ひきの子やぎを、空からさがしまわっています。

「おうい！　ヌラリンちゃん、クラリンちゃん。どこへ行ったんだバサ。」

アカトラは、ベロリン子やぎを、オバタンのそばからひきはなそうと、大くろう。

「こらこら！　ベロリンちゃん。オバタンのふとんを、ひっぺがしちゃ、だめニャ。」

ひきがえるのイボイボは、お世話をするどころか、コロリン子やぎと、チクリン子やぎに追いかけられて、にげまわるのにせいいっぱい。

「えらいこっちゃ。ブオイ。」

「おんや？一ぴきだけ、あんなとこで、なにやってるのかな、ペロ。」
見ると、一ぴきの子やぎが、ちょうど、雲のあいだから顔を出したお月さまにむかって、さかんに話しかけているのでした。
「あ、あの子は、リンリンちゃんだニャ。」

そう。リンリンは、とってもしずかでおとなしいけど、ちょっとふしぎな子なのです。

いつのまにか、にこにこの花をにぎっていたり、お月さまと話をしたり……。

お月さまは、雲のあいだから、出たり入ったりしながら、リンリン子やぎに、「いない、いない、ばあっ！」をやってきます。

「きゃっ、きゃっ、きゃっ！　あっぷっぷう！」

リンリンは、お月さまと、にらめっこをはじめたようです。

すると、お月さまも、おかしな顔をして、

「あっぷっぷう！」

それを見ていたアカトラの、しっぽは、ピッ！　ひげは、ピンピン！

「うニャ！　そう言えば、オバタン、さっき、言ったよニャ。満月の光をあびるまでは、子やぎたちは、ぜったいに、もとにもどらないって！」

そう言われて、ペロリは、リンリンとにらめっこをしているお月さまを、じいっと見つめました。そして、さけびました。

「あーっ！　あっぷっぷうをすると、お月さま、まんまるになる！　あれって、満月だよね。ペロ。」

「そう！　ニャんとか子やぎたちを集めて、お月さまの光をあびさせよう。うまくいくかもしれニャい。」

けっきょく、アカトラとペロリがかけずりまわって、子やぎたちを集め、にげださないように、木のまわりにつないでおきました。

「ひえー、くたくたただバサ。」

「えらいこっちゃ。ブオイ！」

バッサリとイボイボも、木のそばにへたりこみました。

さあ、七ひきの子やぎがせいぞろい。

お月さまも、雲間から顔を出しました。

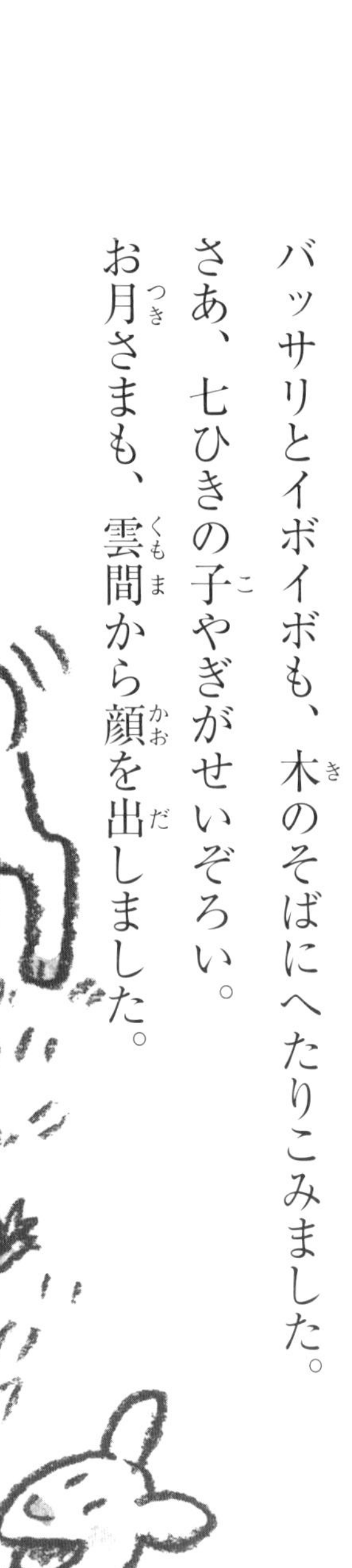

「リンリンちゃん！　お月さまと、
にらめっこしようニャ！
あっぷっぷうって！」
すると、リンリンは、アカトラに
むかって「あっぷっぷう！」。
「ちがう、ちがう！　お月さまに、
あっぷっぷう、ニャ！」

なんだかわからないけど、バッサリもイボイボも「あっぷっぷう！」。
お月さまが、またかくれないうちに、みんなで「あっぷっぷう！」。
とうとう、リンリンも、お月さまに「あっぷっぷう！」。
お月さまも、わらいをこらえて「あっぷっぷう！」。
いっしゅん、満月になったお月さまは、まばゆく
子やぎや使い魔たちをてらしだしました。
四ひきの使い魔は、あんまりまぶしくて、
目をつぶってしまいました。

目を開けたときには、七つ子の赤ちゃんたちが、
元気にはいずりまわっていました。

「やった！　ペロ。」

「どうなってるだバサ。」

「えらいこっちゃ！　ブオイ。」

「さあ、七つ子ちゃん。おうちに帰ろうニャ。」

ようやく、オバタンがおきたときには、
四ひきの使い魔は、ぶじ、赤ちゃんたちを、
ゴブリンの家におくり届けてきたところでした。

ほんとうの満月の夜に、
赤ちゃんたちの、おたんじょう
パーティーが、にぎやかに
開かれたのは言うまでも
ありません。

うそつき！
おふろに入って、
おしゃれしてくるって、
言ったじゃないの！
ふん！
どろんこぶろに入って、
青かびパウダーを
はたいてきたわよ。
てっきり、
おおかみ男に
なると思ったんで、
この衣装！
はずかしい！

◆「あっぷっぷう!」で、顔のきんにくをきたえよう!

四ひきの使い魔監修
魔女の使い魔特集

◆発行所◆
ぞくぞく村
広報室

世界の魔女の使い魔

オバタンのライバル?
世界各国の魔女と
使い魔たちが
大集合!!

中国の使い魔は…
パンダ

インドの使い魔は…
コブラとゾウ

北極の使い魔は…
白クマ

ペルーの使い魔は…
アルパカとコンドル

スペインの使い魔は…
ウシ

ゴブリンさんより
お礼状&プレゼント公開

雨ぼうずピッチャン
▼くもすけお手製の
しずくで
できた
ペンダント

ボクとおそろい!だよ

魔女のオバタン
▼七つ子が、元気で大きく
なるための、
スペシャル
おまじない

がいこつガチャさん
▼七つ子にささげる詩
「セブン・ベイビーズ・
ララバイ」

あ〜うるわしきおさなごたちよ

その他にも、たくさんの
プレゼントをもらったぞ。

パーティー大すき! だれか、また、ぼくを招待して!(ドラキュラのむすこ・ニンニン)

四ひきの使い魔 お仕事拝見!?

「使い魔って どんな仕事を してるの？」…みんなからの質問にお答えして、四ひきの働きぶりを、こっそり公開！

アカトラ

☆大なべのひびわれが大きくなったので、つぎの飛行道具をさがす。

☆オバタンが、やせて見えるかがみを、どこからかみつけてひろってくる。

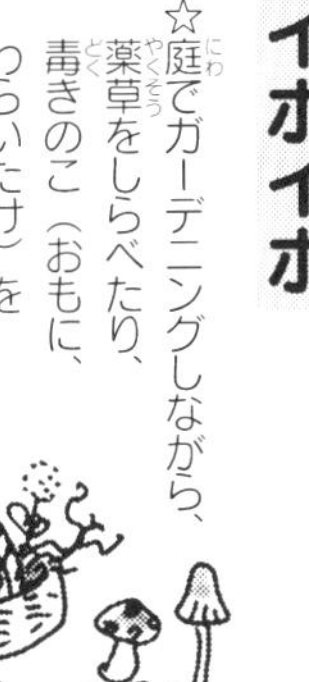

ペロリ

☆人型パンをやいたり、おばけかぼちゃ料理のレシピを工夫。

☆冷蔵庫の中を、オバタンのすきな食べ物でいっぱいにしておく。

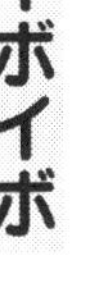

バッサリ

☆空を飛んで、ぞくぞく村のパトロールをする。オバタンの悪口を言ってるおばけがいたら、帰ってきて言いつける。

☆つばさをつかって本だなのほこりをはらう。

イボイボ

☆庭でガーデニングしながら、薬草をしらべたり、毒きのこ（おもに、わらいたけ）をそだてる。

☆びっくりしたり、こまったときのあぶらあせを、びんにあつめてためておく。

質問コーナー

…やっているんですか？

A・ぞくぞく村には、村長さんはいません。なぜなら、「長」とか「親分」とかの名がつくものには、だーれも、なりたがらないからです。だって、めんどうくさそうだもん。

ぞくぞく美術館

にがおえ展 かいさい中!! 作品も ぼしゅう中!!

おひるね グーちゃん
山口県・MKさん

にっこり ラムさん
千葉県・文佳さん

おたよりください ▼あてさき▼〒一〇一―〇〇六五 東京都千代田区西神田三―二―一 あかね書房「ぞくぞく村」係

作者　**末吉暁子**（すえよし　あきこ）
神奈川県生まれ。児童図書の編集者を経て、創作活動に入る。『星に帰った少女』（偕成社）で日本児童文学者協会新人賞、日本児童文芸家協会新人賞受賞。『ママの黄色い子象』（講談社）で野間児童文芸賞、『雨ふり花さいた』（偕成社）で小学館児童出版文化賞、『赤い髪のミウ』（講談社）で産経児童出版文化賞フジテレビ賞受賞。長編ファンタジーに『波のそこにも』（偕成社）が、シリーズ作品に「きょうりゅうほねほねくん」「くいしんぼうチップ」（共にあかね書房）など多数がある。垂石さんとの絵本に『とうさんねこのたんじょうび』（BL出版）がある。2016年没。

画家　**垂石眞子**（たるいし　まこ）
神奈川県生まれ。多摩美術大学卒業。絵本に『ライオンとぼく』（偕成社）、『おかあさんのおべんとう』（童心社）、『もりのふゆじたく』『きのみのケーキ』『あたたかいおくりもの』『あいうえおおきなだいふくだ』『あついあつい』（以上福音館書店）、『メガネをかけたら』（小学館）、『わすれたって、いいんだよ』（光村教育図書）、『けんぽうのえほん　あなたこそたからもの』（大月書店）などがある。挿絵の作品に『かわいいこねこをもらってください』（ポプラ社）など多数。
日本児童出版美術家連盟会員。
垂石眞子ホームページ
http://www.taruishi-mako.com/

ぞくぞく村のおばけシリーズ⑫　**ぞくぞく村の魔女のオバタンの使い魔**
発　行＊2000年９月初版発行　2022年２月第23刷　　NDC913　79P　22cm
作　者＊**末吉暁子**　画　家＊**垂石眞子**
発行者＊岡本光晴
発行所＊**あかね書房**　〒101-0065　東京都千代田区西神田３-２-１／TEL.03-3263-0641（代）
印刷所＊錦明印刷（株）　製本所＊（株）難波製本

ISBN978-4-251-03652-0

ぞく村
雨ぼうずの家
おしゃれおばけの家
びしょびしょ丘
オバタンの家
もじゃもじゃ原っぱ
ミイラのラムさん
ブヨブヨの木
ゴブリンの家
とんとん橋
おばけかぼちゃ畑
吸血鬼の家
ぱかぱか森